STEM

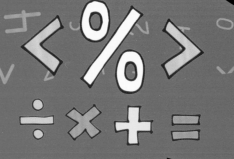

< % >

÷ × + =

JUL 2 8 2020

Matemáticas

Juegos, actividades y temas curiosos
para el aprendizaje matemático

MARIN

Edición para México
Distribuidora Marín, S.A. de C.V.
Anaxágoras 1400 Col. Sta. Cruz Atoyac
03310 Ciudad de México. Tel. 5604 4207
RFC: DMA-910808-BZ1

© 2019, Editorial LIBSA, S.A.

Textos: Carla Nieto Martínez
Edición y maquetación: Equipo editorial LIBSA
Ilustración: Archivo LIBSA, Shutterstock images

ISBN: 978-84-662-1977-8

¡ME DIVIERTE!

Base matemática

Jugando a los detectives

Luis tiene espíritu de detective: le encanta observar cosas y objetos que ve y apuntar ideas (él las llama pistas) en una pequeña libreta, para sacar luego sus conclusiones. El otro día, revisando sus notas, se dio cuenta de que había muchos números apuntados: los había visto en la calle, en los relojes, en el calendario de la cocina, en las páginas de los libros… «Qué curioso: no me había dado cuenta de que los números eran tan importantes; ¿qué pasaría si no existieran?, ¿y si las cosas no se pudieran contar?».

¿Qué es un NÚMERO?

Los números son signos que nos permiten contar, medir, calcular, sumar, restar, multiplicar, dividir, transmitir información, resolver problemas… Están por todos lados y pueden tener distintas formas y tamaños. Sin ellos no sabríamos qué hora es, cuánto cuestan las cosas que compramos o la fecha de nuestro cumpleaños.

Hay dos tipos de números:

1 Números cardinales: los utilizamos para contar y para hacer operaciones aritméticas. Son 1, 2, 3, 4, 5, 6… y así hasta el infinito.

Números pares: Son los que terminan en 0, 2, 4, 6 y 8.

Números impares: Son aquellos que acaban en 1, 3, 5, 7 y 9.

Par de calcetines

Par de zapatillas

Todas las cosas iguales que se pueden agrupar de dos en dos reciben el nombre de par.

2 Números ordinales: se utilizan para indicar el orden o posición que ocupa un objeto o persona. A cada número ordinal le corresponde un número cardinal. En un edificio con pisos se pueden ver estas correspondencias:

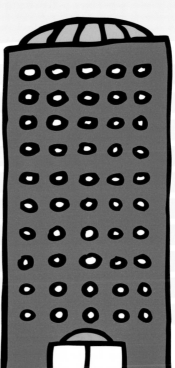

PISO 10	Décimo (10.º)
PISO 9	Noveno (9.º)
PISO 8	Octavo (8.º)
PISO 7	Séptimo (7.º)
PISO 6	Sexto (6.º)
PISO 5	Quinto (5.º)
PISO 4	Cuarto (4.º)
PISO 3	Tercero (3.º)
PISO 2	Segundo (2.º)
PISO 1	Primero (1.º)

Cardinales, ordinales...
y algún infiltrado

Ahora que Luis ya sabe los distintos tipos de números que hay, el siguiente paso en sus «investigaciones» es separarlos en cardinales y ordinales correctamente cuando los apunte en su libreta. ¡Cuidado! Entre estos números hay algunos infiltrados, que no son números cardinales ni ordinales.

¡Ayúdale a ordenarlos!

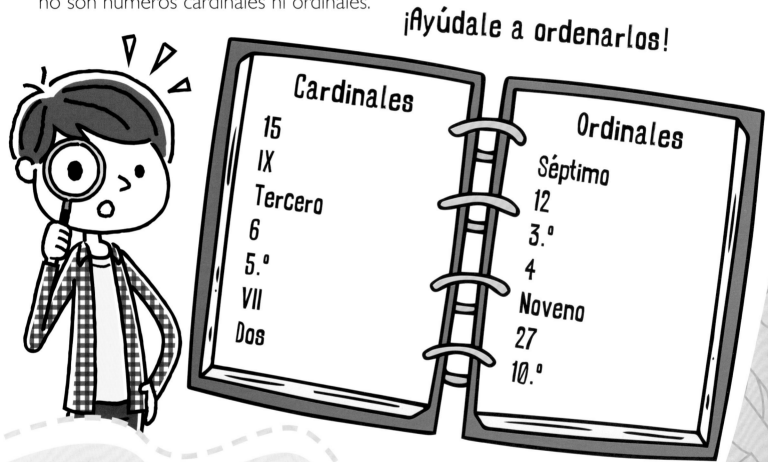

Cardinales

15
IX
Tercero
6
5.º
VII
Dos

Ordinales

Séptimo
12
3.º
4
Noveno
27
10.º

Los números romanos se extendieron por toda Europa y, de hecho, aún se utilizan hoy en día (en los relojes y para numerar los capítulos de los libros, por ejemplo). Los romanos utilizaban letras para representar los números. Estas son las correspondencias con la numeración actual:

1: I	6: VI
2: II	7: VII
3: III	8: VIII
4: IV	9: IX
5: V	10: X

GOLOSINAS en «modo decimal»

A Luis y Sol les han regalado su videojuego favorito de comprar golosinas, pero en la nueva pantalla se han encontrado que se cuenta de una forma «distinta» a la habitual.

¿Podrías ayudarles a descifrar las cantidades?

1-Dos unidades de bolsas de caramelos variados.

2-Una decena y tres unidades de pasteles.

3-Dos decenas de caramelos de limón.

4-Nueve unidades de bizcocho de chocolate.

5-Una decena y cinco unidades de gominolas.

6-Cuatro bolsas de una decena cada una de frutos secos.

Los hombres primitivos empezaron a contar con los dedos. Por eso, agrupaban muchos objetos de 10 en 10, y ese es el origen del sistema decimal que usamos actualmente. En él, los números del 0 al 9 son unidades; y a partir del 10 se consideran una decena:

1 decena = 10 unidades. Así, por ejemplo, el número 15 sería: 1 decena y 5 unidades. El 23: 2 decenas y 3 unidades. El 41: 4 decenas y 1 unidad.

CÁLCULOS

El que parte y reparte...

Elena está muy enfadada: cada vez que se reúne con sus primos y juegan a alguna cosa en la que se reparte algo, a ella siempre le toca la menor cantidad o la parte más pequeña. ¡Y eso que se da mucha prisa para llegar la primera! Por suerte, su amiga Berta le ha dado la solución: «Ellos tienen ventaja, porque saben hacer operaciones matemáticas y claro, calculan rápidamente cuánto le toca a cada uno. Y como tú aún no sabes hacer estas operaciones, no puedes reclamar la parte que te corresponde».

¿Qué es una
OPERACIÓN MATEMÁTICA?

Con los números se pueden hacer **cuatro cálculos** u operaciones básicas: suma, resta, multiplicación y división.

- **La suma**: consiste en juntar, unir, acumular o añadir varias cosas.

- **La resta**: significa quitar, disminuir o sustraer.

A veces, cuando las restas se hacen con números de dos o más cifras, hay que pedir «prestado» un número a la cifra de al lado.

- **La multiplicación**: es sumar de forma repetida (varias veces) números iguales.

$$3 \times 3 = 9$$

Factores   Producto

$$3 + 3 + 3 \longleftrightarrow 3 \times 3$$

Es una operación distinta pero con el mismo resultado

- **La división**: es repartir una cantidad en un número de partes iguales.

$$6 \div 2 = 3$$

Dividendo   Divisor   Cociente

$$5 \big| \underline{2}$$
$$1 \quad 2$$

Cuando el reparto no es exacto, hay una cantidad que sobra y se llama resto.

Actividades

Pistas hacia el TESORO

Elena y sus amigas Berta y Paula se han animado a hacer de bucaneras por un día. Ayúdales a descifrar este mapa en el que se dan las pistas para repartirse un tesoro a partes iguales:

El tesoro está compuesto por 20 monedas a repartir.

a Da una moneda a cada una de las bucaneras. ¿Cuántas monedas quedan ahora?

b Repite el reparto, de una en una, hasta que ya no queden monedas que se puedan dividir de forma equitativa. ¿Cuántas ha recibido cada una en total?

c ¿Cuántas monedas quedan ahora en la bolsa?

Atajo: Divide el número total de monedas entre las tres. Así, sabrás más rápido cuántas le corresponden a cada una y cuántas quedan en la bolsa.

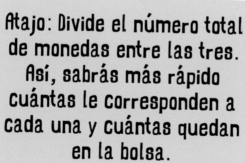

Como habrás comprobado, no siempre es posible distribuir las cosas a partes iguales. Cuando el resto es 0 se dice que la división es exacta y que, por tanto, la cantidad se puede repartir en partes iguales. Cuando el resto es una cantidad distinta a 0, la división es inexacta.

¡DRONES TRAMPOSOS!

Cada uno de estos drones lleva un mensaje relacionado con las operaciones matemáticas. Señala los que sean ciertos y descifra aquellos que contengan un mensaje trampa:

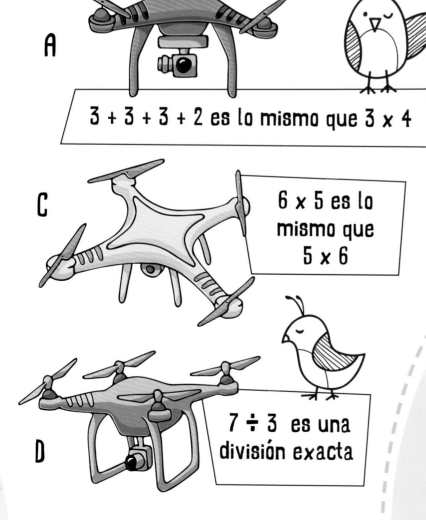

A

$3 + 3 + 3 + 2$ es lo mismo que 3×4

B

$5 + 4 + 8 - 3 = 14$

C

6×5 es lo mismo que 5×6

D

$7 \div 3$ es una división exacta

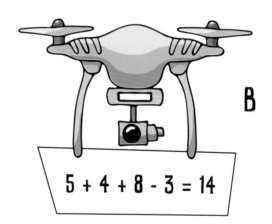

Una de las propiedades (características) de la multiplicación es que el orden de los factores no altera el producto, es decir, que es lo mismo 2×3 que 3×2: el resultado siempre es 6.

11

Una división perfecta

Las minipantallitas de la televisión

Cada vez que enciende la supertelevisión que sus padres acaban de comprar para el salón de su casa, a Marcos le encanta «pasear» por las minipantallitas o ventanitas, todas iguales, en las que está dividida la pantalla. «¡Es genial! Así puedo elegir de un solo vistazo qué programa quiero ver. ¡Parece magia!». Lo que él no sabe es que detrás de ese invento hay un gran secreto: las fracciones.

¿Qué es una FRACCIÓN?

Las fracciones son una operación matemática que se utiliza para representar las **partes iguales** en las que se divide una cosa u objeto. Están formadas por dos elementos:

1

El numerador: indica el número de partes elegidas.

El denominador: señala el total de partes en las que se ha dividido un objeto.

2

Un medio

Al dividir un objeto en dos partes iguales, cada una es un medio.

Se leen en función del denominador. Por ejemplo:

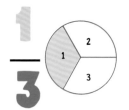

Un tercio

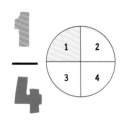

Un cuarto

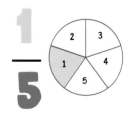

Un quinto

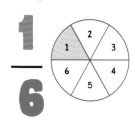

Un sexto

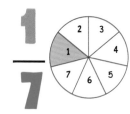

Un séptimo

EL MÁS COMILÓN

Marcos tiene en su móvil una aplicación con la que (siempre con el permiso de sus padres) puede pedir que le traigan pizza a casa. Esta tarde ha invitado a sus tres amigos Tomás, Carlos y Ana. Para darle un poco de envidia a Luis y Sofía, que están castigados, han decidido partir las pizzas en 8 trozos, hacer una foto al trozo que se está comiendo cada uno y mandársela por móvil.

¿Quién come más de los cuatro?

Marcos

Tomás

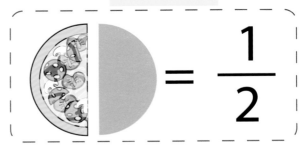

Carlos

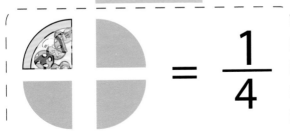

Ana

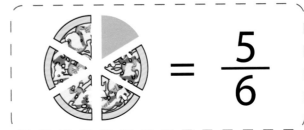

Para saber a cuántas unidades equivale una fracción, se divide el numerador entre el denominador. Por ejemplo: 2/8 significa que se tienen 2 partes de un total de 8 partes, o lo que es lo mismo, 0,25 unidades.

¡QUÉ LÍO!

Marcos se ha ofrecido a ayudar a su madre a hacer la compra online. Necesita medio queso (0,5 de una unidad), pero cuando ha ido a teclear la cantidad, el sistema se ha debido de volver loco y le da muchas opciones en forma de fracciones.

¿Cuáles podría elegir?

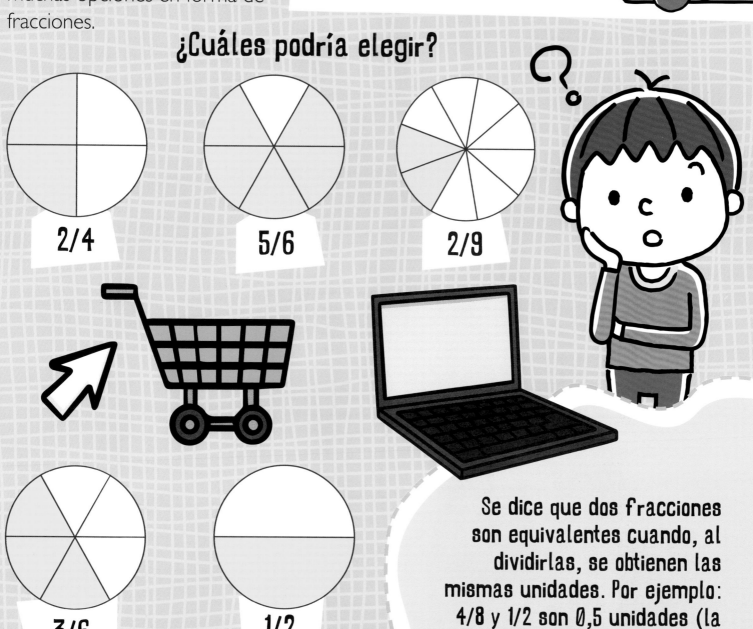

2/4

5/6

2/9

3/6

1/2

Se dice que dos fracciones son equivalentes cuando, al dividirlas, se obtienen las mismas unidades. Por ejemplo: 4/8 y 1/2 son 0,5 unidades (la mitad de una unidad).

Series numéricas

Fibonacci y los patrones

Hace mucho tiempo vivía en Pisa (Italia) un niño llamado Leonardo Fibonacci, al que le encantaba todo lo relacionado con los números. Y fue así como se dio cuenta de que muchas cosas de la naturaleza (las flores, algunos animales…) se desarrollaban en forma de serie, siguiendo un patrón. Su descubrimiento se llama serie o sucesión de Fibonacci.

¿Qué es una SERIE?

Las series son **sucesiones ordenadas** de números u otros elementos que guardan una relación consecutiva entre ellos. Cuando las series son de números reciben el nombre de **series numéricas**. En ellas hay dos elementos:

Los términos: cada uno de los números que forman la serie (A: 2, 4, 6, 8, 10 y B: 15, 12, 9, 6).

El patrón: la cantidad fija que hay que sumar o restar para formar la serie. Este patrón es lo que tienen en común todos los términos de la serie.

A 2 → 4 → 6 → 8 → 10   El patrón sería 2

B 15 → 12 → 9 → 6   El patrón sería 3

Ascendente o progresiva (A): cuando los números van de menor a mayor. El patrón se suma a los números que siguen.

Descendente o regresiva (B): cuando los números van de mayor a menor. El patrón se resta a los números siguientes.

Como los números son infinitos, las series también lo son.

 Símbolo del infinito

DE HUESOS y paTRONES

Ruth tiene una mascota virtual: un perrito llamado Mus al que tiene que alimentar todos los días. El lunes le da 5 huesos, el martes le da otros 5, así que ya tiene 10 huesos; el miércoles, 5 más, con lo que ya tiene 15…

Lunes	Martes	Miércoles	Jueves
5 huesos	**10** huesos	**15** huesos	…

Viernes	Sábado	Domingo
■■■	■■■	■■■

¡Fíjate con atención!

Las series no están formadas solo por números. Los pasos de cebra, por ejemplo, son una serie de líneas; y también puedes encontrar series en un tablero de ajedrez y en los dibujos de las baldosas de tu cocina.

lunes = 5 huesos

A) ¿Cómo seguiría la serie de huesos?

B) ¿Cuál sería el patrón?

COMBINACIÓN SECRETA

La madre de Ruth guarda documentos muy valiosos en su caja fuerte, que solo se puede abrir con una combinación secreta de tres números. ¿Quieres saber qué hay dentro?

Descifra los números que siguen en cada una de las series:

SERIE 1: 4-7-10-13 ...

SERIE 2: 42-38-34-30 ...

SERIE 3: 50-40-30-20 ...

La de Fibonacci es un tipo de serie especial, que solo se da en la naturaleza y cuyos números son: 0, 1, 1, 2, 3, 5, 8, 13, 21, 34, 55, 89. Entre las cosas de la naturaleza que se rigen por ella están las margaritas, que suelen tener 34, 55 u 89 pétalos.

COLECCIÓN DE COSAS

El orden entre el desorden

La habitación de Laura es un auténtico caos: calcetines sin pareja, juguetes por todos lados, las cosas del colegio totalmente desorganizadas… Sus papás le han dicho que hasta que no deje todo ordenado estará castigada. «¡Pero si es que no sé ni por dónde empezar!». Su amiga Isa le ha dicho: «¿Y por qué no haces conjuntos? Es una forma muy fácil de reunir y reorganizar cosas».

¿Qué es un CONJUNTO?

Un conjunto es una agrupación de cosas (objetos, animales, personas, colores, letras, números…) que tienen las mismas características.

1 Las cosas que forman parte de un conjunto se llaman **elementos**, y pueden ser de muchos tipos. Hay conjuntos por todos lados: en la clase, en la naturaleza, en el parque…

2 Todos los elementos que componen un conjunto se agrupan dentro de una línea cerrada, llamada **diagrama**, y también se pueden representar entre **llaves**.

3 Siempre hay que poner un nombre a los conjuntos, y este nombre se representa con una **letra mayúscula**.

Por ejemplo, con los calcetines de Laura se puede formar un conjunto, al que llamaremos **A** y que vamos a representar así:

A
Diagrama

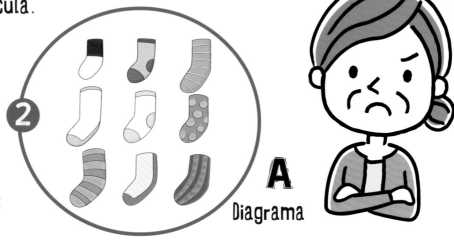

❸ A = {  }

Llave de apertura　　　　　　　　　Llave de cierre

Mates–Desorden

Ahora que ya sabes bastantes cosas sobre las Matemáticas, agrupa en conjuntos los siguientes elementos:

Operaciones matemáticas

ANIMALES

Series

Tipos de números

1 3 + 3 + 3 + 3 = 12

2

3 VII

4

5 4 X 5 = 5 X 4

6 4-8-12-16-18

7 SEGUNDO

8 PAR E IMPAR

Los conjuntos pueden ser de 4 tipos:

- Vacíos: no tienen ningún elemento.
- Unitarios: solo tienen un elemento.
- Finitos: sus elementos se pueden contar (letras del abecedario, vocales).
- Infinitos: la cantidad de elementos no se puede contar porque no tiene fin (estrellas, arena, gotas de agua...).

EL OTRO #HASTAG

Descubre si todos los #hastags (símbolo de cardinalidad) de estos conjuntos son verdaderos… o hay algún falso hastag camuflado.

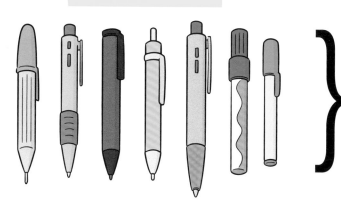

#B = 9

¿Lo adivinas?
¡Es tan fácil como contar!

El signo # no solo se usa en redes sociales, sino que en Matemáticas nos indica cuántos elementos tiene un conjunto. Por ejemplo, la representación #K = 5 significa que la cardinalidad de ese conjunto es 5, es decir, que tiene 5 elementos.

LÍnEas REC+as

Un paseo por la ciudad

A Matías le encanta dibujar líneas y más líneas... ¡podría pasarse así las horas! Hoy su amiga Mati, que es muy observadora, tiene una sorpresa para él y se lo ha llevado a pasear por la ciudad:

«Si miras en los edificios las ventanas, los tejados o las chimenas... verás que hay muchas líneas, que tanto te gustan, ¿verdad? Pues fíjate qué formas se pueden hacer cuando unimos varias, es muuuuy divertido, ¡se llaman ángulos!».

24

¿Qué es un ÁNGULO?

Un ángulo es la unión de **dos segmentos de recta**. El punto exacto donde se unen se llama **vértice**.

Tipos de ángulos

1 **Ángulo recto**

Es el que mide 90°

vértice

2 **Ángulo agudo**

Es el que mide menos de 90°

< 90°

3 **Ángulo obtuso**

Es el que mide más de 90°

> 90°

4 **Ángulo llano**

Mide 180°, como si unimos dos ángulos rectos

180°

No solo los edificios están llenos de ángulos de distintos tipos, sino toda la ciudad: bancos, farolas, aceras, calles...

RETO MATEMÁTICO

La profesora de Matemáticas ha propuesto un reto a sus alumnos: encontrar las cosas de la clase que contienen ángulos agudos en sus siluetas, ¡fíjate bien!

¿Cuáles son?

Libro de Matemáticas

Globo terráqueo

Examen

Regla

Lápiz

Bote de lápices

Cartabón

Estuche

El transportador es el instrumento que mide ángulos en grados. Tiene forma de semircírculo y se usa así: se coloca el punto central del transportador sobre el vértice del ángulo y se hace coincidir la línea del cero con uno de sus lados.

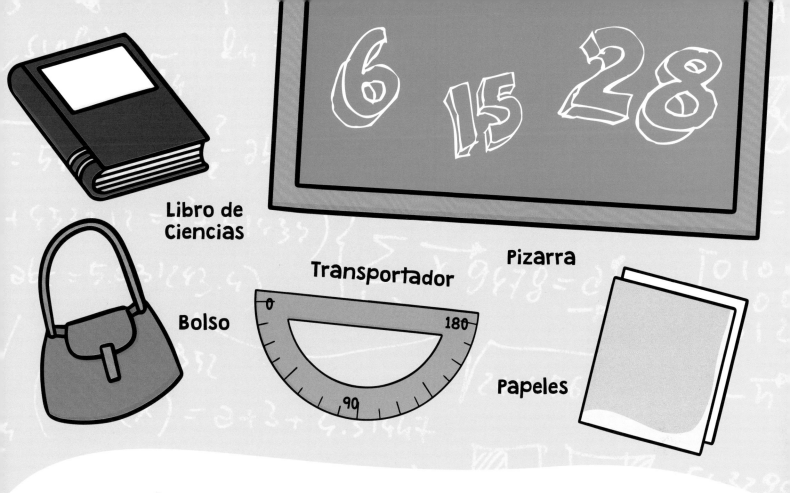

Libro de Ciencias

Pizarra

Transportador

Bolso

Papeles

LOS ÁNGULOS del CUERPO

Mara llega tarde al colegio... ¡Atención! Fíjate bien y descubre cuál de sus tres posiciones forma un ángulo recto de la pierna con respecto a su cuerpo.

¿Cuál de ellas es la correcta?

MUNDO GEOMÉTRICO

Arquitecta de formas

Carmen lo tiene muy claro: de mayor va a ser arquitecto. Y es que lo que más le gusta del mundo es trazar líneas de todo tipo y formar con ellas figuras. Es más: recuerda que cuando más se divirtió fue cuando descubrió la Geometría, o sea, las Matemáticas de la forma y el espacio. Desde entonces, ella interpreta el mundo que le rodea en clave geométrica.

¿Qué es una FIGURA GEOMÉTRICA?

Son aquellas **imágenes**, **representaciones o formas** que tienen las cosas, y que están delimitadas por **líneas rectas o curvas**. Algunas, como las que te vamos a contar ahora, son **planas**. En las figuras geométricas planas hay dos elementos fundamentales: el punto y la recta, y se dividen en dos grandes grupos:

1 **Polígonos**: son formas delimitadas por líneas rectas. Los hay de muchos tipos y reciben distintos nombres según el número de lados que tengan. En los polígonos también hay vértices y una región interior (la zona de dentro de la línea). Los más conocidos son:

Cuadriláteros

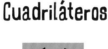

Triángulo: 3 lados   **Cuadrado:** 4 lados   **Rectángulo:** 4 lados   **Rombo:** 4 lados   **Pentágono:** 5 lados

Hexágono: 6 lados   **Heptágono:** 7 lados   **Octógono:** 8 lados   **Eneágono:** 9 lados   **Decágono:** 10 lados

2 **Círculos**: son polígonos formados por un número infinito de lados y delimitados por una línea curva.

¡A POR el RÉCORD!

Mateo y Carmen pasan la tarde con un juego geométrico en la tablet. Se trata de encajar unas piezas muy especiales de diferentes formas y tamaños hasta completar un muro sin dejar huecos.

¿Podrías identificar cuál es la figura geométrica con la que están formadas las piezas?

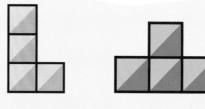 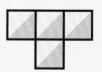

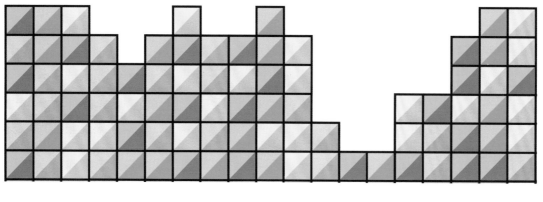

Un poliominó es una poliforma, un objeto geométrico resultante de unir varios cuadriláteros del mismo tamaño en los que cada par de celdas vecinas comparten un lado. Estas figuras se pueden girar y voltear para encajarse unas con otras.

TRIÁNGULOS ¿OCULTOS?

Siempre que pasea por la ciudad, Carmen va «a la caza» de figuras geométricas. Y hoy le ha tocado a los triángulos. Se ha dado cuenta que hay muchos y de que están por todos lados.

¿Le ayudas a saber de qué tipo es cada uno?

a) Árboles
b) Señales de tráfico
c) Pizza
d) Rampa de patinaje

Los triángulos tienen tres lados y tres ángulos, y son de tres tipos:
• Equilátero: 3 lados iguales, 3 ángulos iguales.
• Isósceles: 2 lados iguales, 2 ángulos iguales.
• Escaleno: ningún lado igual, ningún ángulo igual.

Líneas curvas

Un Universo redondo

La Luna, la Tierra y el Sol se juntan de vez en cuando para hablar de sus cosas. Un día, la Tierra hizo la siguiente reflexión: «No es por ser presuntuosos, pero somos importantísimos para la vida». «Pues no es lo único que tenemos en común –le dijo la Luna–. ¿Habéis visto que los tres tenemos la misma forma?». Y el Sol comentó: «¿Sabéis lo que os digo? Tengo tanta hambre, ¡que veo a Saturno convertido en una pizza gigante y redonda!».

¿Qué es el

El círculo es un **polígono** formado por un número infinito de lados y delimitado por una **línea curva**, llamada **circunferencia**. La circunferencia es una línea curva y cerrada en la que todos sus puntos están a la misma distancia del centro. Aunque pueden parecer lo mismo, es muy importante conocer la diferencia entre el círculo y la circunferencia, y recordar que el **círculo** es la **superficie encerrada** dentro de una circunferencia.

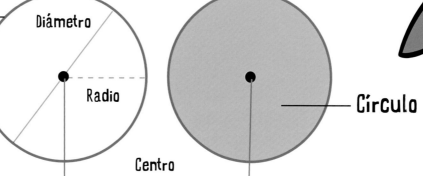

Hay círculos y circunferencias por todos lados, en objetos como un balón, una lupa, un anillo, unos tapones o algunas señales de tráfico… ¡Todos ellos tienen forma círcular!

MUCHO MÁS que una RUEDA

Lucas tiene que identificar las partes de la circunferencia en estas cuatro ruedas antes de salir a pasear con su bicicleta. Pero... ¡alguien las ha desordenado!

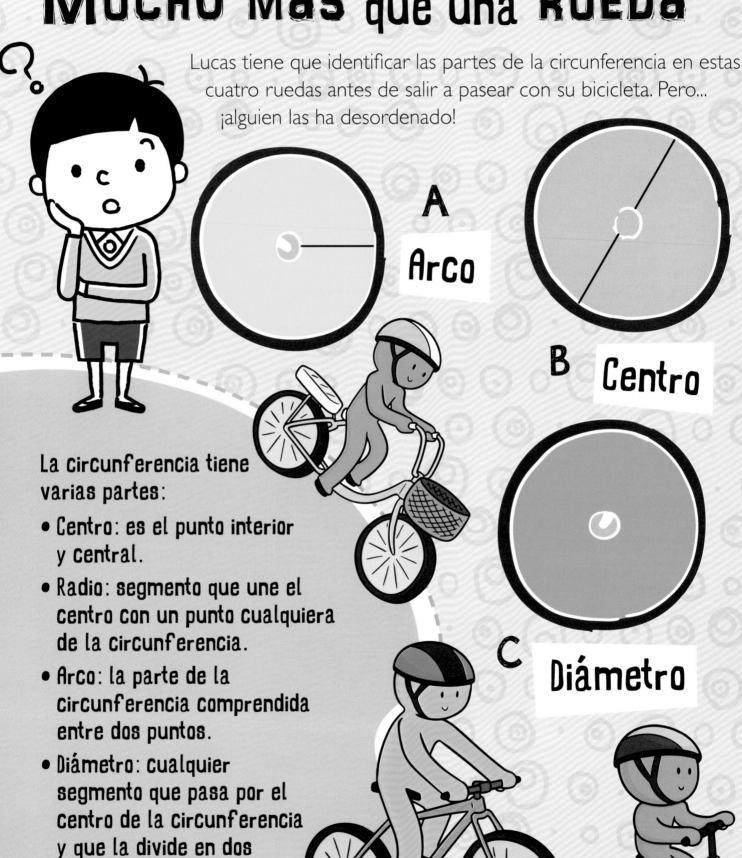

A **Arco**

B **Centro**

C **Diámetro**

La circunferencia tiene varias partes:

- Centro: es el punto interior y central.
- Radio: segmento que une el centro con un punto cualquiera de la circunferencia.
- Arco: la parte de la circunferencia comprendida entre dos puntos.
- Diámetro: cualquier segmento que pasa por el centro de la circunferencia y que la divide en dos semicircunferencias iguales.

¿Le ayudas a colocar cada una en su lugar?

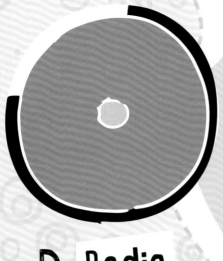

D Radio

El compás es un instrumento que sirve para dibujar circunferencias y círculos. Una de las patas que lo forma lleva en la punta una mina de lápiz y en la otra una aguja. Usarlo es muy fácil: pon la aguja sobre el papel, abre la bisagra según el tamaño que quieras que tenga la circunferencia y trázalo con la parte del lápiz.

Laberinto circular

María ha trazado con su compás círculos concéntricos y ha borrado con lápiz algunas zonas hasta crear este laberinto con una entrada y una salida.

Entrada

Círculos concéntricos

¿Eres capaz de recorrerlo?

Salida

FIGURAS con VOLUMEN

Jugando a las construcciones

A Marcos y a su hermano Coque les encanta hacer construcciones. Tienen piezas de todas las formas, materiales y colores y con ellas compiten por quién hace la creación más grande y original. Su amiga Lina les ha preguntado: «¿Por qué algunas de las piezas que usáis se mantienen de pie mientras que otras ruedan?, ¿y por qué unas ocupan más sitio que otras?».

¿Qué es un CUERPO GEOMÉTRICO?

Son figuras que tienen **tres dimensiones (3D)**: largo, ancho y alto. Por tanto, tienen **volumen** y ocupan un lugar en el espacio. Hay dos tipos:

- **Poliedros**: están formados por polígonos, y todas sus caras son planas. Pueden ser **regulares** (lados y ángulos iguales) e **irregulares** (lados y ángulos desiguales), como veremos más adelante.

Tetraedro	**Cubo**	**Octaedro**	**Dodecaedro**	**Icosaedro**
4 caras	6 caras	8 caras	12 caras	20 caras

- **Cuerpos redondos o de revolución**: los que tienen una o varias caras curvas. La esfera, al ser curva, no se puede apoyar.

Esfera **Cilindro** **Cono**

Partes de los cuerpos geométricos

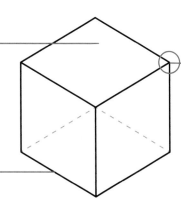

Cara: cada uno de los polígonos que lo forman.

Arista: línea que se forma cuando se unen dos caras.

Vértice o cúspide: punto donde se unen tres o más caras.

REtO En 3D

Para que Lina comprenda mejor qué son los cuerpos geométricos, Marcos y Coque le han enseñado un videojuego de comprar en el supermercado en el que hay que ponerse unas gafas para ver las cosas en 3D.

Se ha colado un objeto que no es un cuerpo geométrico, ¿cuál es?

a

b

c

d

e

f

g

h

¿Cuál es el nombre de cada figura?

¿Te has fijado en que la mayoría de envases de los alimentos, frascos de mermelada o latas de conservas tienen forma de cilindro? La razón es que los cuerpos geométricos con esta forma son muy sencillos de almacenar y manejar.

DIBUJOS «IRREGULARES»

En clase de Geometría nos han pedido que dibujemos estas figuras.
Pero... no todas, ¡solo las que son irregulares!

¿Sabrías decir cuáles son?

Los poliedros irregulares pueden ser prismas (sus caras son cuadriláteros) y pirámides (con caras triangulares y se llaman por la forma de su base: triangular, cuadrangular, hexagonal). Algunos prismas son paralelepípedos, porque tienen como base un paralelogramo (cuadrado, rectángulo, rombo y romboide) y sus caras son iguales dos a dos.

MEDICIONES

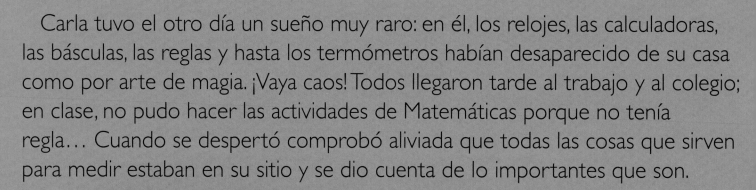

Un mal sueño...

Carla tuvo el otro día un sueño muy raro: en él, los relojes, las calculadoras, las básculas, las reglas y hasta los termómetros habían desaparecido de su casa como por arte de magia. ¡Vaya caos! Todos llegaron tarde al trabajo y al colegio; en clase, no pudo hacer las actividades de Matemáticas porque no tenía regla… Cuando se despertó comprobó aliviada que todas las cosas que sirven para medir estaban en su sitio y se dio cuenta de lo importantes que son.

¿Qué es una MEDIDA?

Las medidas muestran los **tamaños** y las **cantidades** de las cosas mediante números y símbolos. Los números y símbolos con los que se expresan las medidas se llaman **unidades de medida**. Con estas unidades de medida es posible medir el **peso**, el **volumen**, la **distancia** y el **tiempo**, entre otras cosas:

Báscula

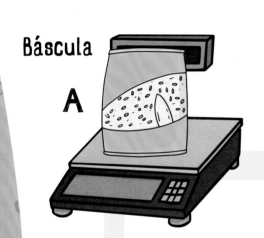

A

Botella

B

Medida	Unidad de medida	Símbolo
Peso	kilo	kg
Volumen	litro	l
Distancia	metro	m
Tiempo	segundo	s

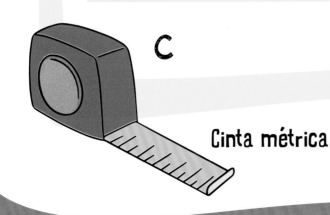

C

Cinta métrica

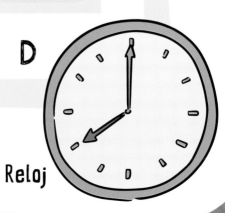

D

Reloj

Una HERRaMiEnta para cada UniDaD

Tenemos muchos inventos e instrumentos que hacen que sea muy fácil medir las cosas. La profesora Calculina está buscando entre este lío algunos que le permitan contestar a estas preguntas:

1 ¿Cuánto mide el libro de Matemáticas?

2 ¿Cuántos kilómetros hemos recorrido?

3 ¿CUÁNTO PESA MI MASCOTA?

4 ¿Qué hora es?

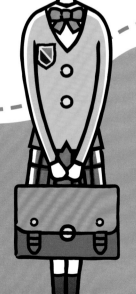

Además de la regla y la cinta métrica, hay otras formas de medir la distancia y la longitud (lo que miden de largo los objetos): la palma de la mano, los pies y los pasos. De hecho, era así como se calculaban estas medidas en la Antigüedad. Hoy en día el cuentakilómetros de un vehículo puede ser muy útil.

EQUIVALENCIAS CON TRUCO

Estas son algunas de las equivalencias más frecuentes entre las unidades de medida. El profesor Álgebra está enfadado porque los alumnos no han descifrado que hay una incorrecta...

Las unidades de peso, volumen y longitud se pueden expresar en unidades más grandes (dividiéndolas entre 10, 100 y 1.000 y usando los prefijos «deca», «hecto» y «kilo») o más pequeñas (multiplicándolas por 10, 100 y 1.000 y usando los prefijos «deci», «centi» y «mili»).

1 **1 LITRO (L) = 10 DECILITROS (DL)**

2 **1.000 GRAMOS (G) = 1 KILOGRAMO (KG)**

3 **10 MILÍMETROS = 1 METRO (M)**

4 **1.000 MILILITROS (ML) = 1 LITRO (L)**

5 **1.000 METROS (M) = 1 KILÓMETRO (KM)**

¿Cuál es?
¡Haz las operaciones y descúbrelo!

SOLUCIONES

Página 6: Cardinales: 15, 6, dos, 12, 4 y 27. Ordinales: tercero, 5.°, séptimo, 3°, noveno y 10.°. El resto, IX y VII, son números romanos.

Página 7: 1) Dos bolsas; 2) 13 pasteles; 3) 20 caramelos; 4) 9 porciones de bizcocho; 5) 15 gominolas, y 6) 40 frutos secos.

Página 10: a) 20 − 3 = 17; b) 6; c) 2; Atajo: 20 ÷ 3 = 6. Resto = 2. Acertijo final: no.

Página 11: A) Dron trampa, B) dron verdadero, C) dron verdadero, y D) dron trampa.

Página 14: la más comilona es Ana (5/6).

Página 15: Opciones válidas: 2/4; 3/6 y 1/2 de queso.

Página 18: A) jueves: 20, viernes: 25, sábado: 30 y domingo: 35, y B) 5.

Página 19: Serie 1: 16, serie 2: 26 y serie 3: 10.

Página 22: Operaciones matemáticas: 1-5, animales: 2 y 4, series: 6, y tipos de números: 3, 7 y 8.

Página 23: #B = 9 porque tiene 8 elementos y no 9.

Página 26:

Página 27: La posición 3.

Página 30: El cuadrado, todas las figuras están formadas por él.

Página 31: a) Isósceles, b) equilátero, c) isósceles, y d) escaleno.

Página 34: A) Radio, B) diámetro, C) centro, y D) arco.

Página 35:

Página 38: No es un cuerpo geométrico «d» porque es plano. Todas son cilindros excepto «d», que es un poliedro plano, «e» que es un cubo y «h» que es una esfera.

Página 39: Irregulares son la figura 1 (pirámide cuadrangular), la 3 (prisma triangular), la 4 (prisma cuadrangular) y la 6 (prisma rectangular). La 2 (cono truncado) es un cuerpo redondo y la 5 (octaedro) es un poliedro regular.

Página 42:

Página 43: La falsa es la 3, porque el resultado sería: 10 milímetros = 0,01 metros.